D0251924

Savais-tu?

Les Mouches

Savais-tu?

Les Mouches

Alain M. Bergeron
Michel Quintin
Sampar

Illustrations de Sampar

ÉDITIONS
MICHEL
QUINTIN

Catalogage avant publication de Bibliothèque et Archives Canada

Bergeron, Alain M., 1957-

Les mouches

(Savais-tu? ; 25)
Pour les enfants de 7 ans et plus.

ISBN 2-89435-285-9

1. Mouches - Ouvrages pour la jeunesse. 2. Mouches -
Ouvrages illustrés - Ouvrages pour la jeunesse. I. Quintin,
Michel . II. Sampar. III. Titre. IV. Collection: Bergeron,
Alain M., 1957-   . Savais-tu? ; 25.

QL533.2.B47 2005   j595.77   C2005-940625-9

Révision linguistique : Rachel Fontaine

  Le Conseil des Arts du Canada
The Canada Council for the Arts   SODEC Québec☒☒   ■✦■ Patrimoine   Canadian
canadien   Heritage

La publication de cet ouvrage a été réalisée grâce au
soutien financier du Conseil des Arts du Canada et de la
SODEC. De plus, les Éditions Michel Quintin bénéficient de
l'aide financière du gouvernement du Canada par l'entremise
du Programme d'aide au développement de l'industrie de
l'édition (PADIÉ) pour leurs activités d'édition.

Gouvernement du Québec – Programme de crédit d'impôt
pour l'édition de livres – Gestion SODEC

Tous droits de traduction et d'adaptation réservés
pour tous les pays. Toute reproduction d'un extrait
quelconque de ce livre, par procédé mécanique ou
électronique, y compris la microreproduction, est
strictement interdite sans l'autorisation écrite de l'éditeur.

ISBN 2-89435-285-9
Dépôt légal - Bibliothèque nationale du Québec, 2005
Dépôt légal - Bibliothèque nationale du Canada, 2005

© Copyright 2005

Éditions Michel Quintin
C.P. 340, Waterloo (Québec)
Canada J0E 2N0
Tél.:   (450) 539-3774
Téléc.: (450) 539-4905
www.editionsmichelquintin.ca

05 M L 1

Imprimé au Canada

Savais-tu que la mouche domestique est l'insecte qui envahit le plus les milieux humains? C'est la plus commune de toutes les espèces de mouches et on la retrouve dans toutes les régions du monde.

Savais-tu qu'elle « entend » avec ses pattes, qu'elle « goûte » avec ses pieds et sa trompe et qu'elle « sent » avec ses antennes?

Savais-tu que, grâce à son odorat très développé, la mouche domestique peut détecter une forte odeur à plusieurs kilomètres de distance?

Savais-tu que si la mouche domestique se pose sur nous, c'est pour aspirer notre sueur? Cette espèce ne pique pas, contrairement à d'autres, dont la mouche des étables.

Savais-tu que la bouche de la mouche domestique est en fait une trompe munie d'une petite éponge à son extrémité? Pour se nourrir, elle aspire sa nourriture.

Savais-tu que la mouche domestique replie sa trompe sous sa tête lorsqu'elle ne l'utilise pas?

Savais-tu que la mouche domestique se nourrit d'ordures, d'aliments, de plaies infectées, d'animaux morts et aussi d'excréments?

Savais-tu qu'elle peut absorber certains aliments solides comme du sucre? Cependant, elle doit d'abord le dissoudre avec sa salive.

Savais-tu que chacun de ses deux grands yeux est composé d'environ quatre mille facettes? Posées les unes à côté des autres, chaque facette est en soi un petit œil avec un cristallin et une cornée.

Savais-tu que ses yeux peuvent percevoir les choses au moins dix fois plus rapidement que les nôtres? Elle peut donc réagir de façon presque instantanée.

Savais-tu que ce pilote hors pair bat des ailes trois cents fois à la seconde? De plus, la mouche domestique parvient à s'envoler en 1/20 de seconde, évitant très souvent le tue-mouche.

Savais-tu que cet as du vol peut se déplacer à une vitesse de deux kilomètres à l'heure?

Savais-tu que soixante-dix mouches domestiques réunies
pèsent à peine un gramme?

Savais-tu que c'est parce qu'elle a un poids plume que la mouche domestique consacre un temps fou à faire sa toilette?

En effet, le moindre déchet qu'elle oublie sur une aile ou sur une patte peut la déséquilibrer.

Savais-tu que c'est grâce à ses six pieds, chacun pourvu d'une paire de griffes et de coussinets adhésifs, que la mouche domestique peut marcher au plafond et sur des surfaces aussi lisses que du verre?

Savais-tu qu'un mâle peut s'agripper à une femelle en plein vol et la forcer à atterrir pour s'accoupler? L'accouplement dure à peine quelques secondes.

Savais-tu que les femelles pondent leurs œufs dans du fumier, des ordures ménagères, des blessures qui suppurent, bref, dans toutes matières organiques en décomposition? Une femelle peut pondre jusqu'à mille œufs durant sa vie.

Savais-tu que les larves éclosent à peine vingt-quatre heures après la ponte? La larve vermiforme, communément appelée asticot, n'a pas de patte et sa tête est très peu développée.

Savais-tu qu'en l'espace de dix jours, la larve se transforme en un insecte adulte capable de voler?

Savais-tu que la mouche domestique adulte, à peine âgée de trois jours, peut s'accoupler? Quatre jours plus tard, elle pondra à son tour et le cycle recommencera.

Savais-tu que la mouche domestique reste souvent fidèle à son lieu de naissance? Elle s'en éloigne rarement de plus d'un kilomètre à la ronde.

Savais-tu qu'à l'arrivée de l'automne, les mouches domestiques vivant dans les zones tempérées cherchent des endroits frais pour passer l'hiver? Cependant, pour survivre, la température de leur refuge ne doit pas descendre sous le point de congélation.

Savais-tu que ces mouches vivent en moyenne de deux à trois mois? Seules celles qui éclosent juste avant la saison froide et qui doivent passer l'hiver vivent plus longtemps.

Savais-tu qu'une seule mouche domestique peut transporter des dizaines et des dizaines de millions de microbes? En fait, un chercheur a estimé à trente-cinq millions le nombre de germes dans le tube digestif d'un individu et à plus de cinq cents millions ceux retrouvés sur son corps.

Savais-tu que c'est en transportant tous ces microbes qu'elle propage de nombreuses maladies? Se posant sur des excréments ou des animaux morts, puis sur de la nourriture ou sur notre bouche, elle peut nous transmettre la tuberculose, la poliomyélite, la lèpre, le typhus, la dysenterie ou d'autres maladies.

Savais-tu que, parce que les asticots se nourrissent de plaies infectées, on les utilisait autrefois en médecine humaine pour nettoyer certaines blessures? D'ailleurs, ce traitement est encore pratiqué de nos jours avec succès sur des patients.

Savais-tu que les asticots de mouches domestiques ont un rôle important à jouer dans la nature? Ils accélèrent le processus de décomposition des matières animale et végétale.

Savais-tu qu'en plus d'être victime de l'homme et des animaux insectivores, la mouche domestique peut aussi attraper plusieurs maladies?

Savais-tu que sans tous ses « ennemis », un couple de mouches pourrait, en une seule année, donner naissance à quatre milliards de milliards de descendants?